Para Laetitia, Margaux y Charlie.

G.B.

Para Marion...

R.B.

Adaptación libre del cuento popular *El lobo pierde su presa*.

Traducido por Diego de los Santos

Título original: *La bonne humeur de loup gris*
© Editorial Didier Jeunesse, París, 2013
© De esta edición: Grupo Editorial Luis Vives, 2016

Edelvives Talleres Gráficos. Certificado ISO 9001
Impreso en Zaragoza, España

ISBN: 978-84-140-0213-1
Depósito legal: Z 1805-2015

EL BUEN HUMOR DEL LOBO GRIS

Gilles Bizouerne | Ronan Badel

EDELVIVES

Una mañana, el lobo gris
se despierta de buen humor,
de MUY buen humor.
Estira las orejas y levanta el hocico.

—¡Oh! ¡Qué día tan bonito!
Mmm, tengo hambre,
¡MUCHÍÍÍÍÍSIMA hambre!

El lobo gris sale bien contento
en busca de alimento.

Corretea, olisquea por aquí,
olisquea por allá...

En lo alto de un monte divisa un carnero.

—¡Ya estoy aquíííí! Soy el **LOOOBO**.

¡El más guapetón, el más fortachón!

Te voy a comer, carnero, te voy a desayunar entero.

¡JA, JA, JA!

—Lobo, con gusto me dejaría desayunar, pero no me podrías tragar.

¿Tú has visto mi tamaño? En fin, te voy a ayudar.

Desciende al pie del monte; yo bajaré a todo tren.

Me haré un ovillo **y rodaré, rodaré**

y a tus fauces abiertas saltaré.

Contento, el lobo gris baja del monte,
se sienta sobre las patas traseras,
abre las fauces de par en par
y espera.

El carnero baja a todo tren la ladera,
salta y le cornea la sesera.
El lobo gris, desprevenido, cae...

SIN SENTIDO.

Tres horas después, el lobo gris vuelve en sí.
Se levanta a duras penas y, en la frente,
se palpa un chichón prominente.

—¡Ay! Esta mañana

me he despertado de MUY buen humor.

Ahora estoy CONTUSIONADO

y tengo el estómago DESINFLADO.

El lobo gris continúa. Mira por aquí, mira por allá...

A mediodía ve en una granja a una cerda con sus cochinillos.
Se acerca enseñando los colmillos.

—¡Ya estoy aquíííí! Soy el **LOOOBO**.

¡El más guapetón, el más fortachón!

Cerda, con tus cochinillos voy a hacer solomillos.

¡JA, JA, JA!

—Lobo, con mucho gusto te dejaré hacer solomillos
con mis tres cochinillos, ¡pero están realmente marranos!
Vamos al río; los lavaremos hasta sacarles brillo.

En la orilla, la cerda le dice al lobo:

—Yo me quedo aquí frotando a mis lechones. Tú, ¡al agua!
Así los enjuagas y los comes.
¿Te castañetean los dientes? ¡Si no hace tanto frío!
Un poco más allá, lobo. ¡Todavía **más lejos!**

El lobo gris apenas hace pie y el río baja con fuerza.

De pronto, de un traspié
pierde el equilibrio,
se hunde en el agua helada
y llega hasta la noria de un molino.
Se le ha enganchado el rabo.

«¡AUU, AUU, AUU!».

La noria lo zarandea.
Él da patadas, dentelladas
y las pasa moradas.

Al final, se libera.
Sin aliento, vuelve a la pradera.

—¡Ay! Esta mañana

me he despertado de MUY buen humor.

Ahora estoy CONTUSIONADO, tengo el estómago DESINFLADO,

el pelo EMPAPADO y... ¡achís! ¡He pillado un RESFRIADO!

El lobo gris merodea, busca por aquí, busca por allá...

Por la tarde, en medio del gran valle, descubre un rebaño de corderos.
Se le hace la boca agua. Elige al más rechoncho y se aproxima.

—¡Ya estoy aquíííí! Soy el **LOOOBO**.

¡El más guapetón, el más fortachón!

Corderito, llegó tu hora. Caerás en mis fauces ¡ahora!

¡JA, JA, JA!

—Lobo, con mucho gusto caeré en tus fauces, pero dame un segundo antes.
Cantaré con mis hermanos la pena de mi despedida.
Tú, que me vas a zampar, lo puedes festejar.

Los corderos balan su adiós a coro, se desgañitan.
Y el lobo gris no deja de aullar por haber encontrado
algo que merendar.

El perro pastor acude al oír jaleo
y se planta entre el lobo y el cordero.

Se abalanza sobre el lobo, le muerde una pata
y el rabo le desbarata.

«¡AUUU, AUUU, AUUU!».

El lobo gris, herido, corre al bosque despavorido.

—¡Ay! Esta mañana me he despertado de MUY buen humor.
Ahora estoy CONTUSIONADO, tengo el estómago
DESINFLADO, el pelo EMPAPADO,
he pillado un RESFRIADO,

en una pata me han pegado un BOCADO
y tengo el rabo medio AMPUTADO!

Renqueando, el lobo gris se arrastra por aquí,
se arrastra por allá...

Al atardecer localiza un caballo en un cercado. Sigiloso, salta a su lado.

—¡**Y**a estoy aquííííí! Soy el **LOOOBO**.

Soy... Soy... Eh... Soy como soy, ¡qué más dará!

Caballo viejo, en mi estómago acabarás.

¡JA, JA, JA!

—Lobo, con gusto me puedes devorar, pero antes tengo
una última voluntad. Mi padre grabó su testamento en uno
de mis cascos y nunca he podido descifrarlo. Dime tú qué pone,
por favor, y luego haz conmigo lo que te parezca mejor.

El caballo levanta una pata trasera y el lobo gris se acerca.

—¡Caballo, chocheas, no veo el testamento!

—Para verlo mejor, acércate sin temor.

El lobo gris se acerca y...

«¡**Plaf!**». El caballo lo cocea.

El porrazo le machaca la quijada y las muelas le salen disparadas.

El lobo gris es lanzado, sobrevuela la valla y cae al suelo...

¡DESPACHURRADO!

Ya es de noche cuando el lobo gris, aturdido, abre un ojo a duras penas.

—¡Ay! Efta bañana be he defedtado de BUI buen hubor.

Ahoda estoy CONTUFIONADO, dengo el efómago DEFINFLADO,

el pelo EBBABADO, eftoy bui DEFFIADO, en una bata

be han begado un BOCADO, dengo ed dabo bedio COTTADO,

el quihar MAHAHADO y lof diendef DEFOFADOF.

En ocasiones no conviene fiarse del buen humor
y quedarse en la cama es lo mejor.